"十二五"国家重点图书出版规划项目

数学文化小丛书

李大潜　主编

圆锥截线的故事

Yuanzhui Jiexian de Gushi

——数学与文明的一个重大篇章

项武义

U0151447

高等教育出版社·北京

图书在版编目（CIP）数据

圆锥截线的故事：数学与文明的一个重大篇章 / 项武义编 .
—北京：高等教育出版社，2014.3（2023.4 重印）
（数学文化小丛书 / 李大潜主编 . 第 3 辑）
ISBN 978-7-04-038609-7

Ⅰ . ①圆… Ⅱ . ①项… Ⅲ . ①圆锥曲线—普及读物

Ⅳ . ① O123.3-49

中国版本图书馆 CIP 数据核字（2013）第 242143 号

项目策划 李艳馥 李 蕊

策划编辑	李 蕊	责任编辑	田 玲	封面设计	张 楠
版式设计	王艳红	插图绘制	尹文军	责任校对	刘娟娟
责任印制	存 怡				

出版发行	高等教育出版社	咨询电话	400-810-0598
社　址	北京市西城区德	网　址	
	外大街 4 号		http://www.hep.edu.cn
邮政编码	100120		http://www.hep.com.cn
印　刷	中煤（北京）印务	网上订购	
	有限公司		http://www.landraco.com
开　本	787×960　1/32		http://www.landraco.com.cn
印　张	1.5	版　次	2020 年 3 月第 1 版
字　数	23 000	印　次	2023 年 4 月第 9 次印刷
购书热线	010-58581118	定　价	5.00 元

本书如有缺页、倒页、脱页等质量问题，请到所购图书销售部门联系
调换。
版权所有　侵权必究
物 料 号　38609-00

数学文化小丛书编委会

数学文化小丛书总序

　　整个数学的发展史是和人类物质文明和精神文明的发展史交融在一起的。数学不仅是一种精确的语言和工具、一门博大精深并应用广泛的科学，而且更是一种先进的文化。它在人类文明的进程中一直起着积极的推动作用，是人类文明的一个重要支柱。

　　要学好数学，不等于拼命做习题、背公式，而是要着重领会数学的思想方法和精神实质，了解数学在人类文明发展中所起的关键作用，自觉地接受数学文化的熏陶。只有这样，才能从根本上体现素质教育的要求，并为全民族思想文化素质的提高夯实基础。

　　鉴于目前充分认识到这一点的人还不多，更远未引起各方面足够的重视，很有必要在较大的范围内大力进行宣传、引导工作。本丛书正是在这样的背景下，本着弘扬和普及数学文化的宗旨而编辑出版的。

　　为了使包括中学生在内的广大读者都能有所收益，本丛书将着力精选那些对人类文明的发展起过重要作用、在深化人类对世界的认识或推动人类对世界的改造方面有某种里程碑意义的主题，由学有专长的学者执笔,抓住主要的线索和本质的内容,由浅入深并简明生动地向读者介绍数学文化的丰富内涵、数学文化史诗中一些重要的篇章以及古今中外一些著名数学家的优秀品质及历史功绩等内容。每个专题篇幅不长,并相对独立,以易于阅读、便于携带且尽可能降低书价为原则,有的专题单独成册,有些专题则联合成册。

希望广大读者能通过阅读这套丛书,走近数学、品味数学和理解数学,充分感受数学文化的魅力和作用,进一步打开视野、启迪心智,在今后的学习与工作中取得更出色的成绩。

李大潜

2005 年 12 月

目　　录

一、圆锥截线 (conic sections)① 的源起 —— 希腊几何学的最爱与巅峰

话说当年, 古希腊文明在继承古埃及与巴比伦文明的基础上蓬勃进展, 更上层楼, 使得理性认知大自然的 "理性文明" (civilization of rational mind) 获得长足进步, 成就辉煌; 而几何学与天文学则是其中至为重要的核心与主导. 实乃现代科学的启蒙与奠基者, 至今依然是蕴育理性文明的泉源.

在希腊几何的基础理论中, 三角形与圆的研究居于核心地位. 前者是几何事物的至精至简, 而后者则是平面形之中的至善至美. 希腊几何学所达到的最高点则在于球面 (spheres) 和圆锥截线的研究和认知. 例如 Archimedes (阿基米德) 的球面面积公式和 Apollonius (阿波罗尼奥斯) 所著的八册圆锥截线论可以说是两个巅峰, 长话短说, 且让我们谈谈圆

---

① 此处圆锥截线即圆锥曲线或二次曲线.

锥截线认知的源起:

圆柱截线, 引人入胜

大体上来说, 一段树干或一节竹子, 可以看做圆柱体、圆柱面的自然实例. 在我们锯树或竹子的实践中, 自然会认识到所产生的截面或截线的形状和锯得正还是锯歪了是颇有区别的, 亦即正则圆、歪则椭 (参见图 1 所示). 对于一般人, 此事常见, 不足为奇而未加深究. 但是古希腊某些几何学家却锲而不舍地探讨这种因歪而椭的圆柱截线究竟有何几何特性, 从而发现下述引人入胜的突破. 这也就是他们研究圆锥截线之几何的启蒙之突破点, 即

圆柱截线之几何特性

如图 1 所示, Σ_1 和 Σ_2 分别是和柱面 Z 相切于 Γ_1 和 Γ_2, 而且和截面 Π 分别相切于 F_1 和 F_2 点的球面. 则截线 $\Gamma = Z \bigcap \Pi$ 上任给一点 P, 皆有

$$\overline{F_1 P} + \overline{F_2 P} = 常数 \ (\Gamma_1 \ 和 \ \Gamma_2 \ 的垂直距离).$$

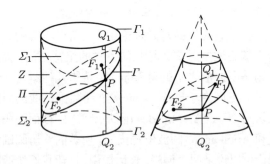

图 1

证明 如图 1 所示, 过 $\Gamma = Z \cap \Pi$ 任取点 P, 作垂直于 Γ_1, Γ_2 于 Q_1, Q_2 的直线段. 由圆柱面的旋转对称性易见 $\overline{Q_1 Q_2}$ 的长度恒为常数. 再者, 由球外一点到球面的切线长皆相同, 即得

$$\overline{F_1 P} + \overline{F_2 P} = \overline{Q_1 P} + \overline{Q_2 P} = \overline{Q_1 Q_2} \text{ (常数)}. \quad \square$$

由上述简洁的论证, 发现**椭圆** (ellipse) 的几何特性就是它有两个焦点 F_1, F_2 使得其上任给一点分别到 F_1, F_2 的距离之和是一个常数, 而圆则是 F_1 和 F_2 相重合的特殊情形. 此事对于当年的几何学爱好者确实令人惊喜, 引人入胜.

由圆柱截线推广到圆锥截线

话说当年, 有位同好进一步认识到树干其实是底粗顶细, 所以更加切实的几何描述理当是圆锥而并非是圆柱. 总之, 他们又进而把上述论证法推广到圆锥面的截线, 而且又认识到圆锥截线还有另外两种, 如图 2 所示的**抛物线** (parabola) 和**双曲线** (hyperbola), 顺理成章不难用内切球的类似证法, 分别得出抛物线与双曲线的几何特性.

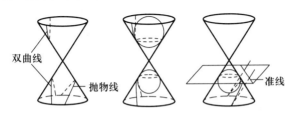

图 2

二、解析几何的牛刀小试与 温故知新

在文明发展史上, 一方面几何学由于缺乏新兴的思想和研究方法而停顿不前, 日趋衰微; 而另一方面, 西罗马帝国的灭亡使得欧洲陷于一段漫长的黑暗时代. 西方的理性文明一直到 16 世纪文艺复兴才重现生机, 其中东罗马帝国的灭亡迫使许多希腊学者流亡到意大利, 中国的活字版印刷术的西传使得 Euclid (欧几里得) 的 *Elements* 和 Diophantus (丢番图) 的 *Arithmetica* 等等得以出版; 而且阿拉伯的代数学的西传则促使代数学在文艺复兴中获得长足进展, 其中 Viète (韦达) 所著的 [6] 的影响尤为深远. 至此, 几何学和代数学的会师业已时机成熟, 水到渠成. 这就是产生 Descartes (笛卡儿) 的解析几何的时代背景. 解析几何把代数学和几何学融合于一体, 相辅相成, 相得益彰, 乃是理性文明发展史上的重大进展; 而这种新兴的思想和方法的好的开始和牛刀小试也就是把它用来研讨圆锥截线, 温故而知新, 不亦乐乎?

温故而知新,是孔夫子在求知上深刻的体会,在此且以当年解析几何的发展初期研讨圆锥截线这一段"史实"为例作一剖析:

其实,"温故"之是否能"知新"还是要看如何去温故. 说白了,假如依然用原有的旧观点、老思想去温故,则所能达到的充其量是知故知得更加熟悉罢了! 反之,若能用新观点、新思想去温故,则自然而然会知新. 长话短说,当年的解析几何这种新兴的思想和方法,重访圆锥截线论所作的温故知新可以概括如下:

首先,改用坐标化把希腊几何在圆锥截线上的知识下一番温故的功夫. 大致上,这也就是目前在解析几何教学中所讨论者. 例如,椭圆、抛物线、双曲线的方程标准式,极点与极线,以及用平移、转轴之不变量证明任何二次曲线皆为圆锥截线等等. 但是总而言之,这还只是把当年希腊几何中对于圆锥截线的诸多知识,改用解析法重述. 改证而已,可以说仅仅是一种旧酒装新瓶.

究竟有哪些结果,才是真正超越希腊几何的知新呢? 其中一个重要的新知就是: 五点定一圆锥截线,它是两点定一直线,三点定一圆的自然推广,即

定理 设 $\{P_i(x_i, y_i), 1 \leqslant i \leqslant 5\}$ 是平面上任给相异五点,则有唯一的圆锥截线过上述五点.

证明 我们只要直截了当地用待定系数法去求

解一个二元二次多项式

$$\Gamma(x, y) = Ax^2 + 2Bxy + Cy^2 + 2Dx + 2Ey + F$$

满足

$$\Gamma(x_i, y_i) = 0, \quad 1 \leqslant i \leqslant 5,$$

即可证明其存在性, 而其唯一性则在于满足上述条件的待定系数 $\{A, B, C, D, E, F\}$ 彼此只差一个常数倍. $\square$

注 上述论证, 所用到的乃是代数学中多元一次联立方程组的基础理论. 设 $P(x, y)$ 是所求者的任给一点, 则有

$$\Gamma(x, y) = 0 \quad \text{和} \quad \Gamma(x_i, y_i) = 0, \quad 1 \leqslant i \leqslant 5, \quad (1)$$

它们组成六个待定系数 $\{A, B, C, D, E, F\}$ 的齐次线性方程组 (1), 它具有不全为零之解的充要条件就是下述六阶行列式要等于零, 即

$$\begin{vmatrix} x^2 & xy & y^2 & x & y & 1 \\ x_1^2 & x_1y_1 & y_1^2 & x_1 & y_1 & 1 \\ \vdots & \vdots & \vdots & \vdots & \vdots & \vdots \\ x_5^2 & x_5y_5 & y_5^2 & x_5 & y_5 & 1 \end{vmatrix} = 0, \quad (2)$$

其实 (2) 式也就是所求者的方程式.

另外一个重要的新知是椭圆、双曲线和抛物线的自然参数表达式, 即

椭圆: $x = a\cos\theta, y = b\sin\theta, 0 \leqslant \theta < 2\pi$

双曲线：$x = a\sec\theta, y = b\tan\theta, 0 \leqslant \theta < 2\pi$

抛物线：$x = t, y = \dfrac{1}{2p}t^2, -\infty < t < +\infty$

它们是进而研讨上述三种圆锥截线各种各样几何不变量 (如曲率等等) 的有力工具 (参看四、五).

三、射影几何的启蒙者

设 π_1, π_2 是两个相异的平面, $O \notin \pi_1 \bigcup \pi_2$. 易见以 O 为 "光源" 即有把 π_1 上的点投影到 π_2 的投影映射:

$$\pi_1 \overset{O}{\wedge} \pi_2 : \pi_1 \ni P_1 \to P_2 \in \pi_2, \{O, P_1, P_2\} \text{ 共线.}$$

其定义如图 3 所示:

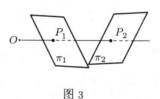

图 3

不难看到, 在投影变换之下, 大小和形状都**不再**保持不变, 例如我们习用熟知的几何量如长度、角度等等都**不再**是投影不变量. 究竟还有哪些更为根本的几何量是在投影变换之下, 依然保持不变的呢? 这也就是在 19 世纪蓬勃发展的射影几何学所研讨者. 而圆锥截线的投影不变量的研究, 又自然而然地扮演了启蒙课题. 在此我们将仅仅举几个有意思的例子作一简介.

例 Pascal (帕斯卡) 定理

平面上任给相异五点定一圆锥截线 (第二节定理). 由此可见六点 $\{P$ 和 $P_i, 1 \leqslant i \leqslant 5\}$ 共在一个圆锥截线之上是需要满足某些条件的. 在上述定理的论证中, 业已指出, 它们的坐标满足 (2) 式就是**六点共在一个圆锥截线之上的充要条件**. 但是从几何学的观点来看, 这种充要条件尚有美中不足之憾. 我们还得要去探索一种纯几何的充要条件, 此事乃是 Pascal 少年时代所达成者. 即

Pascal 定理 六点 $\{A, B, C$ 和 $A', B', C'\}$ 共在一个圆锥截线 Γ 上的充要条件乃是如图 4 所示之

$$P = AB' \cap A'B, \quad Q = AC' \cap A'C \quad 和 \quad R = BC' \cap B'C$$

三点共线.

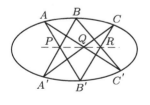

图 4

注 (i) 在二元二次多项式可以分解为两个一次因式时, 其所定义的二次曲线乃是**两条直线**. 它可以

看成**圆锥截线的退化** (degenerate) **情形**, 亦即截面 Π 过圆锥面之顶点的情形.

(ii) 在这种退化的情形下, 在希腊几何学中业已有下述美妙的定理, 即

Pappus (帕普斯) 定理 设 $\{A, B, C\}$ 和 $\{A', B', C'\}$ 是分别位于直线 l, l' 上的三点组. 则下述三个交点共线:

$$P = AB' \cap A'B, \quad Q = AC' \cap A'C, \quad R = BC' \cap B'C,$$

即如图 5 所示:

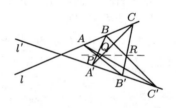

图 5

所以当年 Pascal 所证者, 乃是把 Pappus 定理推广到非退化的情形也成立. 这样, 就得知上述性质对于**所有二次曲线**皆普遍成立.

现在让我们来讨论上述两个美妙的定理, **当年究竟是如何证明的**. 其实, 两者乃是数学史上令人深思, 但是业已无法考证的 "疑案". 因为 Pappus 定理的出处在于他所写的书中的一个习题! 而 Pascal 定理的出处则在于他少年时代所著的一本小册子. 当年印份很少. 很不幸的是, 到了 Leibniz (莱布尼茨) 晚年业已一本都找不到了. 而 Leibniz 老先生只是

说当年他曾经在那本小册子中读到这个美妙的定理,但是他却忘记了其中所给的证明!

有鉴于此,我们现今只能对当年的证法作某种合情合理的"推测",此事乃是数学史中值得剖析、研讨的两个议题.

剖析与探讨

(i) 在 Pappus 时代所知的证明当然要用当年业已熟知的几何定理,而其中必然要用到一个以三点共线为其结论的定理. 稍加探究,其实下述 Menelaus (门内劳斯) 逆定理乃是当年所知唯一以三点共线为其结论的定理.

Menelaus 定理和逆定理　设 P, Q, R 分别居于一个三角形三边所在的直线之上. 则它们共线的充要条件是下述**有向线段之比**的乘积等于 -1:

$$\frac{\overrightarrow{AP}}{\overrightarrow{PB}} \cdot \frac{\overrightarrow{BR}}{\overrightarrow{RC}} \cdot \frac{\overrightarrow{CQ}}{\overrightarrow{QA}} = -1,$$

即如图 6 所示:

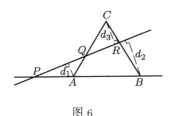

图 6

因此可以推论当年所知的证明必然要用到上述定理,有了这个线索,就不难按图索骥,发现下述引人入胜的证法:

Pappus 定理当时可能的证法:

在图 5 之中, 一共有八条直线, 即 l, l' 和三对分别以 P, Q, R 为其交点者. 若要用 Menelaus 逆定理来证出 $\{P, Q, R\}$ 共线, 当然得就地取材, 构造一个三角形使它们分别居于其三条边线之上, 例如图 7 中所示的 $\triangle UST$. 然后再对于其余五条直线和 $\triangle UST$ 的三边线的交点用 Menelaus 定理得出五个右侧为 -1 的条件式, 把它们结合起来, 就可以得出 $\{P, Q, R\}$ 三点共线的 Menelaus 逆定理条件式! 亦即将下述五个等于 -1 的有向线段比式相乘, 其右侧当然还是 -1, 而其左侧则自然逐一对消, 简化为所要之条件式即有

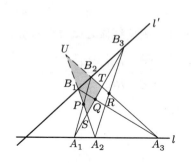

图 7

对 $A_1 B_2$ 和 $\triangle UST$: $\dfrac{\overrightarrow{SA_1}}{\overrightarrow{A_1 T}} \cdot \dfrac{\overrightarrow{TB_2}}{\overrightarrow{B_2 U}} \cdot \dfrac{\overrightarrow{UP}}{\overrightarrow{PS}} = -1$,

对 $A_2 B_3$ 和 $\triangle UST$: $\dfrac{\overrightarrow{SB_3}}{\overrightarrow{B_3 T}} \cdot \dfrac{\overrightarrow{TR}}{\overrightarrow{RU}} \cdot \dfrac{\overrightarrow{UA_2}}{\overrightarrow{A_2 S}} = -1$,

对 $A_3 B_1$ 和 $\triangle UST$: $\dfrac{\overrightarrow{SQ}}{\overrightarrow{QT}} \cdot \dfrac{\overrightarrow{TA_3}}{\overrightarrow{A_3 U}} \cdot \dfrac{\overrightarrow{UB_1}}{\overrightarrow{B_1 S}} = -1$,

对 l 和 $\triangle UST$: $\dfrac{\overrightarrow{A_1T}}{\overrightarrow{SA_1}} \cdot \dfrac{\overrightarrow{A_3U}}{\overrightarrow{TA_3}} \cdot \dfrac{\overrightarrow{A_2S}}{\overrightarrow{UA_2}} = -1$ (颠倒重写者),

对 l' 和 $\triangle UST$: $\dfrac{\overrightarrow{B_3T}}{\overrightarrow{SB_3}} \cdot \dfrac{\overrightarrow{B_2U}}{\overrightarrow{TB_2}} \cdot \dfrac{\overrightarrow{B_1S}}{\overrightarrow{UB_1}} = -1$ (颠倒重写者).

将上述五式左、右分别相乘, 即得

$$\dfrac{\overrightarrow{SQ}}{\overrightarrow{QT}} \cdot \dfrac{\overrightarrow{TR}}{\overrightarrow{RU}} \cdot \dfrac{\overrightarrow{UP}}{\overrightarrow{PS}} = -1 \implies \{P, Q, R\} \text{ 共线. } \quad \square$$

相信这极可能就是当年 Pappus 对于其书中美妙的习题胸有成竹的题解. 因为在当年已知的几何知识的范畴之内. 其实舍此别无他途.

(ii) 现在让我们来探讨当年 Pascal 的证明的 "可能方法": 首先, 他当然熟知并参考上述对于 Pappus 定理的证明. 再者, 他当年经常和 Desargues (德萨格) 等射影几何的先行者切磋学问. 所以自然会想到运用投影思想, 把一般圆锥截线的情形的证明归结到圆的特殊情形而证明之. 由上述两点去探讨他当年的证明, 很可能大致如下:

如图 8 所示, 我们依然可以从分别相交于 P, Q, R 的三对直线之中, 各取其一来构造 $\triangle UST$. 同样地, 对于其余三条直线得出其 Menelaus 定理条件式, 即有

$$\dfrac{\overrightarrow{SA_1'}}{\overrightarrow{A_1'T}} \cdot \dfrac{\overrightarrow{TB_2'}}{\overrightarrow{B_2'U}} \cdot \dfrac{\overrightarrow{UP'}}{\overrightarrow{P'S}} = -1,$$

$$\frac{\overrightarrow{SB_3'}}{\overrightarrow{B_3'T}} \cdot \frac{\overrightarrow{TR'}}{\overrightarrow{R'U}} \cdot \frac{\overrightarrow{UA_2'}}{\overrightarrow{A_2'S}} = -1,$$

$$\frac{\overrightarrow{SQ'}}{\overrightarrow{Q'T}} \cdot \frac{\overrightarrow{TA_3'}}{\overrightarrow{A_3'U}} \cdot \frac{\overrightarrow{UB_1'}}{\overrightarrow{B_1'S}} = -1.$$

把三者左、右各自相乘, 其左侧比 P, Q, R 三点共线的条件式多了下述六个比值的乘积, 即

$$\frac{\overrightarrow{SA_1'}}{\overrightarrow{A_2'S}} \cdot \frac{\overrightarrow{SB_3'}}{\overrightarrow{B_1'S}} \cdot \frac{\overrightarrow{TB_2'}}{\overrightarrow{B_3'T}} \cdot \frac{\overrightarrow{TA_3'}}{\overrightarrow{A_1'T}} \cdot \frac{\overrightarrow{UA_2'}}{\overrightarrow{B_2'U}} \cdot \frac{\overrightarrow{UB_1'}}{\overrightarrow{A_3'U}}.$$

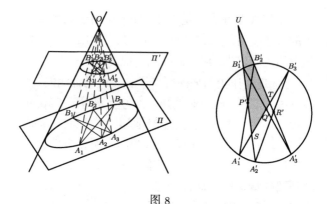

图 8

回顾在 Pappus 定理的证明中, 我们是用对于直线 l 和 l' 的 Menelaus 条件式来把上述左侧化简的. 现在则必然要用圆的性质才能简化它. 只要有此想法, 就不难想到可以用下述熟知的定理, 即如图 9 所示:

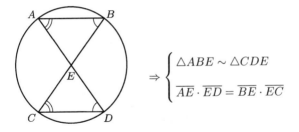

$$\Rightarrow \begin{cases} \triangle ABE \sim \triangle CDE \\[2mm] \overline{AE} \cdot \overline{ED} = \overline{BE} \cdot \overline{EC} \end{cases}$$

图 9

马上就可以证明上述六个比值之乘积等于 1.

[历史的注记]: 也许同学们会问: Pappus 定理如此美妙的结果, 为什么在他的书中却只是一个 "习题" 呢? 此事仅有可能的解释乃是在当年希腊几何的体系之中, 这个美妙的结果的重要性却没能被理解. 及至 19 世纪射影几何学的发展, 它就摇身一变成为射影几何之中最为重要的基本定理. 这位几何学中的 "睡美人" 一睡近两千年, 一直等到射影几何这位 "王子" 之一 "吻" 才容光焕发, 展现她在理性文明中的光辉.

四、千古之谜的真相大白 —— Tycho de Brahe (第谷) 之毕生天文观察与 Kepler (开普勒) 行星运行三定律的发现

试想远古先民, 仰望夜空繁星点点, 斗转星移, 令人神往, 发人深思. 中、西古文明都认识到虽然斗转星移, 夜夜不休, 但是绝大部分的星象 (亦即相对位置) 是保持**不变**的, 例如北斗七星和各种星座. 当时还未能认识到这是地球自转的效应. 他们把此事想成有一个旋转不休的天球而繁星众座则是固定在天球之上, 它们也就是现今称之为恒星者也. 可是细心的星空观测者却又发现有五颗相当明亮的星星.①它们和其他 "恒星" 之间的相对位置却一直在变动游走. 乃是不安于其位, 老是在天球上游走的 "行星", 在古希腊称之为 "planet" (漫游者). 而且这五

①它们在中西文明中的命名如下: 金星 (Venus)、木星 (Jupiter)、水星 (Mercury)、火星 (Mars)、土星 (Saturn).

颗漫游于天球之上的星星, 又各有其怪异的行径与周期. 此事着实令古代的星空观测者困惑难解. 总之, 自远古以来, 对于这五颗行星 (planets) 独特的行径的 "理解", 可以说是千思万想不得其解的 **"千古之谜"**. 此谜一直到 Tycho de Brahe 以毕生心力, 昼以继夜, 进行力求精准的天文观测, 然后 Kepler 再对于 Tycho de Brahe 的实测数据做了近二十年超凡卓越、无比艰辛的数理分析才得以真相大白. 这也就是 Kepler 行星运行三定律! 这两位科学巨人的毕生贡献, 乃是理性文明中光芒万丈的里程碑, 是现代科学的开创者. 在此长话短说仅概述其要.

Tycho de Brahe (1546—1601)

Tycho 出身于丹麦王国的贵族, 少年时代在哥本哈根求学时, 深受 1560 年日偏食之启发, 领悟到天文现象是可以准确预测者. 从此他立志毕生献身于天文学, 自行购置观察天象的仪器, 研读天文书籍, 乐此不疲. 在 1563 年 8 月, 他观察到土星和木星在天球上非常靠近 (在中国天文中称之为土、木冲). 但是当他去查当时天文学对于这种 "土、木冲" 所作的预测时间, 却发现差了好些天. 由此 Tycho 认识到当时天象观察的精度不足, 有待大幅改进. 从此他开始自行设计, 制造更加精准的观察器材.

在 1572 年 11 月, 天空中出现了新星 (nova) 照亮夜空的天文事件, 众说纷纭, 莫衷一是. 而此事正好使得 Tycho 所构造的仪器有用武之地, 令其大显身手, 确认它乃是一颗新生的恒星! 在 1573 年发表的在天文学上的处女作 *De Nova Stella* 使得他名满欧洲, 乃是丹麦王国的骄傲. 在他游学回国时, 丹麦国王把一个叫做 Hven 的整个岛赐给他, 让他在其上建造一个天文堡, 这也就是闻名的 Uraniborg. Tycho 在 Uraniborg 夜以继夜二十年如一日地观测天象, 为千古之谜的解答提供了不可或缺的确保精度到 2′ 的长期实测数据.

Johannes Kepler (1571—1630)

Kepler 出身于一个困苦的家庭. 所幸少年的 Kepler 才华出众, 所以一直能够获得奖学金才不致于辍学. 1589 年他进入当时的一个学术中心 Tübingen 大学, 1591 年获得学士学位后, 继续在校进修传教士学位. 但是在 1594 年初, Graz 的 Protestant school 的数学老师突然病故, 该校向 Tübingen 大学教授团 (Senate of Faculty) 请求推介一位 "替手". 总之, 1594 年 4 月 Kepler 开始到该校任教数学和天文, 开始他毕生的天文人生.

首先, Kepler 和他在 Tübingen 大学的老师 Maestlin (梅思特林) 都是相信 Copernicus (哥白尼) 的 "日心学说" 的, 即地球和金、木、水、火、土这五个行星都绕着太阳运行. 从 Kepler 笃信上帝的心态来看, 这个体系乃是上帝的杰作. 为什么他的杰作 (太阳系) 中恰恰只有六个绕日运行的行星呢? 此事一定有其深刻的道理. 这也就是当年任教天文学课程的 Kepler 深思不解的问题. (注: 其实行星的个数并不是六个, 但是当年只知道六个行星.)

在 1595 年 7 月 19 日, 他突发奇想, 认定行星个数恰好是六个的道理和**正多面体**的个数恰好是五

个密切相关. 他的具体构想大体如下:

他把各个行星 (包括地球) 的绕日轨道想成是位于一个以太阳为球心的球形薄壳之内. 这样, 就总共有六个同心球壳且各有其特定之内径和外径. Kepler 的奇想就是这样六个上帝设计的球壳之间恰好能够 (适当地) 插入五种正多面体. 各个正多面体和其内之球壳外切, 而又和其外的球壳内接, 假如此事果真如此, 岂不美妙绝伦!? 当年 Kepler 觉得这是上帝给他的启示, 肯定如此, 问题只是如何妥加选取插法罢了! 图 10 所示者, 就是他在 1596 年发表的处女作《宇宙的奥秘》(*Mysterium Cosmographicum*) 中, 他的奇想的图解:

图 10 《宇宙的奥秘》中六颗行星的轨球模型

天作之遇 (1600—1601)

Tycho de Brahe 和 Johannes Kepler 在 1600—1601 年的相会, 可以说是上天的安排, 既偶然又必然的天作之遇. 他俩在 Benatek Castle (布拉格) 短暂的会合达成了理性文明的 "巨棒" 的交接. 一方面, Tycho de Brahe 有他毕生观察所累积的宝贵数据, 但是一直理不出一个头绪. 当年少的 Kepler 把他 1596 年的小册子寄给业已是天文学界泰斗的 Tycho 时, Tycho 当然不信这种奇谈怪论. 但是他看到这位小伙子所展现的冲劲与才华. 而另一方面, Kepler 深深地认识到对于行星运行的实测数据之不足. 因而极想能够得窥 Tycho de Brahe 手中的宝贵数据. 由此可见两者终于在布拉格相会在学术上的必然性. 但是在人事上, 他们之能够相遇又充满偶然性. 在此限于篇幅, 且把其中的曲折略去不谈.

《新天文学》(*Astronomia Nova*, 1609) 和《世界的和谐》(*Harmonices Mundi*, 1619)

长话短说, 在 1601 年 Kepler 得以继承了 Tycho de Brahe 的宝库之后, 他以超凡卓越的功力和毅力, 对于行星轨迹做了十几年的数理计算与分析, 其间历尽艰辛, 百折不馁, 探索再探索, 好比当年达摩禅师十年面壁终破壁, 终于得出石破天惊无比伟大的行星运行三定律. 其中《新天文学》只是对于火星的轨迹的研究, 得出第一、第二定律, 即

Kepler 第一定律　火星绕太阳运行的轨道乃是一个以太阳为其焦点之一的椭圆.

Kepler 第二定律　如图 11 所示, 火星到太阳的连线, 在单位时间所扫过的 "扇形" 面积是常数.

上述两个关于火星的定律, 其发现的艰辛、经历的挫折和最后终于成功的漫长历程, 在他 1609 年首刊的《新天文学》中有相当翔实的叙述. 接着, 他又再接再励, 研究其他五个行星的轨道, 验证上述两个定律乃是对六个行星都普遍成立, 不但如此, 他还发

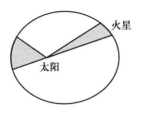

图 11

现下述:

Kepler 第三定律 各个行星椭圆轨道的长轴的立方和其周期的平方之比值皆相同, 即 $\dfrac{(2a)^3}{T^2}$ 对于六个行星皆相同, 它是太阳系的一个本质性的常数. (1619, *Harmonices Mundi.*)

五、精益求精、顺理成章、至精至简、以简御繁；由行星运行律和自由落体迈向万有引力定律

话说当年,(17 世纪初叶) Kepler 所达成的太阳系行星运行三定律和 Galileo Galilei (伽利略) 对于地表重力的斜面实验与钟摆运动的论述 (*Discourses and mathematical demonstrations concerning two new sciences*, 1638) 乃是当时在 "新天文学" 与 "新运动学" 上的重大成就. 本质上, 两者都是**实验性定律** (empirical laws), 前者是基于 Tycho de Brahe 的实测天文数据的数理分析, 使得行星漫游天际的千古之谜终于真相大白; 太阳系永恒之舞整然有序, 而古希腊几何学的圆锥截线竟然也是大自然的至善至美! 后者则是通过我们在地球表面习以为常的重力之实验与数理分析, 奠定了动力学 (dynamics) 的基础认知: 亦即惯性定律与 $F = ma$ 的启蒙与奠基. 可以说, 天上人间, 各具其简朴精到之理. 但是在理

性文明的进程中, 还得再用数理分析精益求精, 探求其至精至简才能天上人间合而为一, 顺理成章地发现**万有引力定律** (universal gravitation law). 这就是 Newton (牛顿) 的伟大成就, 其论述发表于 **《自然哲学的数学原理》** (*Philosophiæ Naturalis Principia Mathematica*, 1687 年首版, 以下简称《原理》), 它使得我们对于大自然 (宇宙) 的理解有了长足的进展, 是科学史中令人叹为观止的至精至简、以简御繁的经典巨著.

但是《原理》中的几个关键性的数理分析, 例如由 Kepler 的面积律与椭圆律推导平方反比律的证明和球面对称的引力公式之论证却写得难读难懂, 往往令人望而却步. 本节将改用简朴初等的 "另证" 来对于上述关键性的数理分析作一重访 (revisiting).

面积律与其力向心的等同性 (《原理》命题 1)

定理 1 设 $\overrightarrow{OP}$ 是平面运动动点 P 的位置向量, $\dfrac{\mathrm{d}A}{\mathrm{d}t}$ 是 $\overrightarrow{OP}$ 在单位时间所扫过的面积. $\dfrac{\mathrm{d}A}{\mathrm{d}t}$ 是常量 (亦即守恒) 的充要条件是 $\overrightarrow{OP}$ 和加速度 $\boldsymbol{a}$ 总是共线的 (Newton 称之为 centripetal).

证明 令 $\boldsymbol{v}$ 和 $\boldsymbol{a}$ 分别是平面 $\varPi$ 上动点 P 的速度向量与加速度向量, 即

$$\boldsymbol{v} = \frac{\mathrm{d}}{\mathrm{d}t}\overrightarrow{OP}, \quad \boldsymbol{a} = \frac{\mathrm{d}}{\mathrm{d}t}\boldsymbol{v}.$$

由图 12 易见

$$(\overrightarrow{OP} \times \boldsymbol{v}) \cdot \boldsymbol{n} = 2\frac{\mathrm{d}A}{\mathrm{d}t},$$

其中 $\boldsymbol{n}$ 是平面 $\varPi$ 的单位法向量. 所以 $\dfrac{\mathrm{d}A}{\mathrm{d}t} = $ 常数 的充要条件乃是

$$
\begin{aligned}
0 &= \frac{\mathrm{d}}{\mathrm{d}t}(\overrightarrow{OP} \times \boldsymbol{v}) \cdot \boldsymbol{n} \\
&= (\boldsymbol{v} \times \boldsymbol{v}) \cdot \boldsymbol{n} + (\overrightarrow{OP} \times \boldsymbol{a}) \cdot \boldsymbol{n} \\
&= (\overrightarrow{OP} \times \boldsymbol{a}) \cdot \boldsymbol{n} \Leftrightarrow \overrightarrow{OP} \times \boldsymbol{a} = \boldsymbol{0},
\end{aligned}
$$

亦即 $\overrightarrow{OP}$ 和 $\boldsymbol{a}$ 总是线性相关 (共线) 的. $\qquad\square$

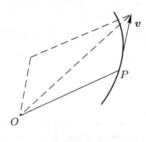

图 12

椭圆的几个简单几何特性

要从椭圆律与面积律去证明平方反比律 (《原理》命题 11), 其要点在于把面积律和椭圆的某些几何性质妥加结合, 特别是椭圆和其焦点之间的几何 (focal geometry of ellipses).

其一: 设 d_1, d_2 分别为焦点 F_1, F_2 到一条切线 τ_P 的距离, 则有

$$
d_1 \cdot d_2 = b^2.
$$

其二: 如图 13 所示, K 是 $\overline{F_1 P}$ 上使得 $\overline{OK} /\!/ \tau_P$ 之点, 则有 $\overline{PK} = a$.

其三: 令 (r, θ) 为 P 点对于以 F_1 为极点的极坐标, 亦即 $r = \overline{F_1 P}, \theta = \angle F_2 F_1 P$, 则

$$\frac{1}{r} = \frac{1}{b^2}(a - c\cos\theta),$$

如图 13 所示. $\overline{F_1 P} + \overline{F_2 P} = 2a, \overline{F_1 F_2} = 2c, b = \sqrt{a^2 - c^2}$, 而且 P 点的切线 τ_P 和法线 ν_P 分别是 $\triangle F_1 P F_2$ 的 $\angle F_1 P F_2$ 的外角和内角平分线 (椭圆的光学性质).

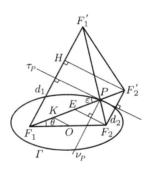

图 13

证明 (1) 令 F_1' 和 F_2' 分别是 F_1, F_2 对切线 τ_P 的反射对称点. 则四边形 $F_1 F_2 F_2' F_1'$ 乃是等腰梯形, 其对角线交于 P 点, 对角线长皆为 $2a$. 再者, 由 Rt $\triangle F_1 F_2' H$ 和 Rt $\triangle F_1' F_2' H$ 的勾股公式, 即有

$$(d_1 + d_2)^2 + \overline{F_2' H}^2 = (2a)^2,$$
$$(d_1 - d_2)^2 + \overline{F_2' H}^2 = (2c)^2$$
$$\Rightarrow 4d_1 d_2 = 4(a^2 - c^2) = 4b^2.$$

25

(2) 在 $\overline{F_1P}$ 上取 E 点使得 $\overline{PE} = \overline{PF_2}$, 亦即 $\triangle EF_2P$ 是等腰的. 所以 $EF_2 \perp \nu_P$, 亦即有

$$\overline{EF_2} // \tau_P // \overline{KO},$$

所以

$$\overline{F_1K} = \overline{KE}$$

$$\Rightarrow 2a = 2\overline{KE} + 2\overline{EP} = 2\overline{KP}.$$

(3) 由 $\triangle F_2F_1P$ 的余弦定理, 即有

$$\overline{PF_2}^2 = (2a - r)^2 = r^2 + 4c^2 - 4cr\cos\theta,$$

所以

$$4b^2 = 4a^2 - 4c^2 = 4r(a - c\cos\theta),$$

亦即

$$\frac{1}{r} = \frac{1}{b^2}(a - c\cos\theta). \qquad \square$$

椭圆的曲率公式

定理 2 令 ε 是 $\overline{PF_1}$ 和 τ_P 之间的夹角, κ, ρ 分别是椭圆 Γ 在 P 点的曲率和曲率半径. 则

$$\kappa = \frac{1}{\rho} = \frac{a}{b^2}\sin^3\varepsilon.$$

证明 用椭圆的参数方程:

$$x = a\cos t, \quad y = b\sin t, \quad 0 \leqslant t \leqslant 2\pi,$$

对于所描述的运动, 即有

$$\boldsymbol{v} = \begin{pmatrix} -a\sin t \\ b\cos t \end{pmatrix}, \quad \boldsymbol{a} = \begin{pmatrix} -a\cos t \\ -b\sin t \end{pmatrix} = \overrightarrow{PO},$$

易见 $\{\boldsymbol{v}, \boldsymbol{a}\}$ 所张成的平行四边形面积为 ab.

令 $\boldsymbol{\nu}$ 为 P 点的单位法向量, 则有

$$\frac{1}{\rho}|\boldsymbol{v}|^2 = \boldsymbol{a} \cdot \boldsymbol{\nu} = \frac{a \cdot b}{|\boldsymbol{v}|}, \quad \frac{1}{\rho} = \frac{a \cdot b}{|\boldsymbol{v}|^3}.$$

再者, 由 $\overline{PK} = a$ 即得

$$ab = |\boldsymbol{v}|a\sin\varepsilon \Rightarrow |\boldsymbol{v}| = \frac{b}{\sin\varepsilon},$$

所以

$$\frac{1}{\rho} = \frac{a \cdot b}{|\boldsymbol{v}|^3} = \frac{a}{b^2}\sin^3\varepsilon. \qquad \square$$

平方反比律的三个各具特色的简洁证明

证明 1 由面积律

$$d_1|\boldsymbol{v}| = \frac{2\pi ab}{T}$$

和 $d_1 \cdot d_2 = b^2$, 即得

$$|\boldsymbol{v}| = \frac{2\pi ab}{d_1 T} = \frac{2\pi ab}{T}\frac{d_2}{b^2} = \frac{\pi a}{bT}\overline{F_2 F_2'},$$

$$\overrightarrow{F_2 F_2'} = \overrightarrow{F_2 F_1} + \overrightarrow{F_1 F_2'} = \begin{pmatrix} -2c \\ 0 \end{pmatrix} + 2a\begin{pmatrix} \cos\theta \\ \sin\theta \end{pmatrix},$$

所以

$$\boldsymbol{v} = \frac{\pi a}{bT}\begin{pmatrix} 0 \\ -2c \end{pmatrix} + \frac{2\pi a^2}{bT}\begin{pmatrix} -\sin\theta \\ \cos\theta \end{pmatrix}.$$

求导数即有

$$\boldsymbol{a} = \frac{\mathrm{d}}{\mathrm{d}t}\boldsymbol{v} = \frac{2\pi a^2 \dot{\theta}}{bT}\begin{pmatrix} -\cos\theta \\ -\sin\theta \end{pmatrix}$$

$$= \frac{\pi^2}{2}\frac{(2a)^3}{T^2} \cdot \frac{1}{r^2}\begin{pmatrix} -\cos\theta \\ -\sin\theta \end{pmatrix}. \qquad \square$$

证明 2 由面积律和曲率公式, 即有

$$r|\boldsymbol{v}|\sin\varepsilon = \frac{2\pi ab}{T}, \quad \frac{1}{\rho\sin^3\varepsilon} = \frac{a}{b^2},$$

而且

$$|\boldsymbol{a}|\sin\varepsilon = \boldsymbol{a}\cdot\boldsymbol{\nu} = \frac{1}{\rho}|\boldsymbol{v}|^2,$$

所以

$$|\boldsymbol{a}| = \frac{1}{\rho\sin\varepsilon}|\boldsymbol{v}|^2 = \frac{4\pi^2 a^3}{T^2}\frac{1}{r^2}. \qquad \square$$

证明 3 对于

$$\overrightarrow{F_1 P} = r\begin{pmatrix}\cos\theta\\\sin\theta\end{pmatrix},$$

求导两次, 即有

$$\boldsymbol{a} = \frac{\mathrm{d}^2}{\mathrm{d}t^2}\overrightarrow{F_1 P}$$
$$= (\ddot{r} - r\dot{\theta}^2)\begin{pmatrix}\cos\theta\\\sin\theta\end{pmatrix} + (2\dot{r}\dot{\theta} + r\ddot{\theta})\begin{pmatrix}-\sin\theta\\\cos\theta\end{pmatrix}.$$

用面积律, 即有上式之右侧项为 0, 而且由极坐标方程之求导, 即有

$$\frac{-\dot{r}}{r^2} = \frac{c}{b^2}\dot{\theta}\sin\theta \Rightarrow \dot{r} = -\frac{c}{b^2}\sin\theta\frac{2\pi ab}{T},$$

将上式求导再遍乘 r^2, 即得

$$r^2\ddot{r} = -\frac{2\pi ab}{bT}\cos\theta(\dot{r}^2\dot{\theta}) = -\frac{4\pi^2 a^3}{T^2}c\cos\theta.$$

再者

$$r^2(-r\dot{\theta}^2) = -\frac{1}{r}(r^2\dot{\theta})^2 = -\frac{1}{r}\left(\frac{2\pi ab}{T}\right)^2,$$

所以

$$(\ddot{r} - r\dot{\theta}^2) = -\frac{4\pi^2 a^3}{T^2} \frac{1}{r^2}. \qquad \Box$$

[历史的注记]:《原理》命题 11 的证明乃是平方反比律之首证. 具有重要的历史意义, 值得细读与深入理解. 但是此事非易. 读者不妨参考 Chandrasekhar 的原理导读, 并把它和上述三个简洁证法作比较分析.

密度球对称者对于其外质点的引力公式

《原理》命题 71 是极其核心的积分公式, 是建立万有引力定律的关键所在, 但是 Newton 花了多年努力才获得的证明依然难学难懂. 下面所述者, 乃是善用引力的平方反比性和球面对称性之间的巧妙配合的证法, 即

定理 3 一个半径为 R, 具有均匀密度 ρ 的球壳, 对于其外一个质量为 m 的质点 P 的引力等同于它和位于球心 O, 质量为 $4\pi R^2 \rho$ 的质点之间的引力, 亦即

$$|\boldsymbol{F}| = G\frac{4\pi R^2 \rho m}{\overline{OP}^2} \quad (G \text{ 是引力常数}).$$

证明 如图 14 所示, 令 P' 是 $\overline{OP}$ 之上使得 $\overline{OP'} \cdot \overline{OP} = R^2$ 之点, 而 Q 则是球面 Σ 之上的任给一点. 则恒有

$$\triangle OQP' \sim \triangle OPQ \text{ (相似)}.$$

因为两者具有公共角而且其对应边成比例, 即

$$\overline{OP'} \cdot \overline{OP} = R^2 \Rightarrow \frac{\overline{OP'}}{\overline{OQ}} = \frac{\overline{OQ}}{\overline{OP}},$$

所以有

$$\angle OQP' = \angle OPQ \;(:= \theta) \quad \text{和} \quad \frac{\overline{QP'}}{\overline{PQ}} = \frac{R}{\overline{OP}}.$$

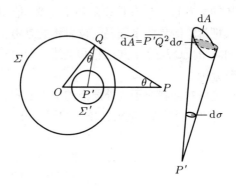

图 14

令 dA 是位于 Q 的 Σ – 球面的面积元素, dσ 是它在 P' 所张的立体角, 亦即是以 P' 为球心的单位球面 Σ' 之上的相应面积元素. 如图 14 右侧的放大锥所示, 它在以 P' 为球心, $\overline{P'Q}$ 为半径的球面 $\widetilde{\Sigma}$ 上的相应面积元素乃是 $\widetilde{\mathrm{d}A} = \overline{P'Q}^2\mathrm{d}\sigma$, 而且 d$A$ 和 $\widetilde{\mathrm{d}A}$ 之间的两面角等于 θ, 所以

$$\mathrm{d}A\cos\theta \sim \widetilde{\mathrm{d}A} = \overline{P'Q}^2\mathrm{d}\sigma \quad (\text{mod 高阶微量}).$$

再者, $\rho \mathrm{d}A$ 和质点 P 之间的平方反比引力 d$\boldsymbol{F}$ 对于总合力的贡献乃是其在 $\overrightarrow{PO}$ 方向的分量, 亦即

$$|\mathrm{d}\boldsymbol{F}| \cdot \cos\theta = G\frac{m\rho\mathrm{d}A}{\overline{PQ}^2}\cos\theta$$

$$= Gm\rho\frac{\overline{P'Q}^2\mathrm{d}\sigma}{\overline{PQ}^2} = Gm\rho\frac{R^2}{\overline{OP}^2}\mathrm{d}\sigma,$$

所以总合力就等于

$$\int |\mathrm{d}\boldsymbol{F}| \cos\theta = Gm\rho \frac{R^2}{\overline{OP}^2} \int \mathrm{d}\sigma$$

$$= Gm\rho \frac{R^2}{\overline{OP}^2} 4\pi$$

$$= G\frac{mM}{\overline{OP}^2},$$

$$M = 4\pi R^2 \rho. \qquad \square$$

Kepler 逆问题的解答

在逐步渐进对于大自然的内在规律的认知上, 我们所要进一步探求其理者, 是 Kepler 行星运行律的原由何在. 前面的数理分析让我们认识到其原由是太阳作用于行星者乃是一个与距离平方成反比的引力. 在这里, 自然还会问下述逆问题: 一个加速度向心而且其大小和距离平方成反比的运动是否必然也满足 Kepler 行星运行律呢? (通常称之为 Kepler 逆问题 (inverse Kepler problem).)

其实, 这就是当年 (1680 年左右) Hooke (胡克), Halley (哈雷), Newton, Wren (雷恩) 热衷研讨的问题. 1684 年 8 月 Halley 专程去剑桥造访 Newton 所求教者就是这个逆问题.

长话短说, 下面所提供者是对于 Kepler 逆问题的简朴精到的解答. 即

定理 4 设运动 $\overrightarrow{OP}(t)$ 的加速度 $\boldsymbol{a}$ 向心而且其

大小和 $\overline{OP}^2$ ($r := \overline{OP}$) 成反比, 即

$$\boldsymbol{a} = \frac{K}{r^2} \begin{pmatrix} -\cos\theta \\ -\sin\theta \end{pmatrix} \quad (K \text{ 是一个常数}),$$

则它满足面积律而且它的轨道是一个以 O 点为其焦点之一的圆锥截线.

证明 设 $\boldsymbol{v}$ 是点 P 的速度向量, 由定理 1 可见它满足面积律, 即有常数 k 使得

$$|\boldsymbol{v}| r \sin\varepsilon = 2k, \quad r^2\dot{\theta} = 2\frac{\mathrm{d}A}{\mathrm{d}t} = 2k,$$

所以

$$\begin{aligned}
\frac{\mathrm{d}}{\mathrm{d}\theta}\boldsymbol{v}(\theta) &= \boldsymbol{a}(\theta)\frac{\mathrm{d}t}{\mathrm{d}\theta} = \frac{K}{r^2\dot{\theta}}\begin{pmatrix} -\cos\theta \\ -\sin\theta \end{pmatrix} \\
&= \frac{K}{2k}\frac{\mathrm{d}}{\mathrm{d}\theta}\begin{pmatrix} -\sin\theta \\ \cos\theta \end{pmatrix},
\end{aligned}$$

因而存在一个常向量 $\boldsymbol{c}$ 使得

$$\boldsymbol{v}(\theta) = \frac{K}{2k}\begin{pmatrix} -\sin\theta \\ \cos\theta \end{pmatrix} + \boldsymbol{c}.$$

我们可把极坐标选成 $r(\theta)$ 在 $\theta = 0$ 时极小而且 $\boldsymbol{v}(0)$ 是向上的, 则有

$$\boldsymbol{v}(\theta) = \frac{K}{2k}\begin{pmatrix} -\sin\theta \\ \cos\theta \end{pmatrix} + \begin{pmatrix} 0 \\ |\boldsymbol{c}| \end{pmatrix} = \frac{K}{2k}\begin{pmatrix} -\sin\theta \\ \cos\theta + e \end{pmatrix},$$

其中 $e = \dfrac{2k|\boldsymbol{c}|}{K}$.

再用一次面积律, 即得

$$\begin{vmatrix} r\cos\theta & \dfrac{K}{2k}(-\sin\theta) \\[2mm] r\sin\theta & \dfrac{K}{2k}(\cos\theta + e) \end{vmatrix} = 2k,$$

亦即

$$\frac{1}{r} = \frac{K}{(2k)^2}(1 + e\cos\theta),$$

它是一个圆锥截线的极坐标方程! □

六、回顾与展望: 天体力学, 音韵悠悠

圆锥截线的故事, 且就说到这里, 其间诸多细节、趣闻也就暂且不谈, 留待读者去探趣寻幽. 在此仅仅作一些简要的回顾作为结语:

(一) 从毕氏学派到 Newton 的《原理》, 两千多年的理性文明发展历程, 主轴在于几何、天文与物理. 而行星漫游天际, 其理何在? —— 这个 "千古之谜" 的认知、探索, 一直是贯串全局的核心问题. 有兴趣的读者可以参看 [3].

(二) 人类生活的所在 —— 地球, 乃是不断绕着太阳运行的一颗行星, 仅仅是舞在太阳系永恒之舞中的行星之一. 如今回顾反思, "行星运行的认知" 其所以千古成谜可以说乃是因为舞在其中, 当局者迷! 例如 Ptolemy (托勒密) 的 *Almagest* 乃是一个以地球为中心的数理模型, 古希腊文明世代相承, 历经七个世纪的量天巨梦之所得, 实乃将错就错却还能作短期预测的体系, 幸有 Copernicus, Tycho de Brahe

和 Kepler 的天文学巨棒三接力, 千古之谜才得以真相大白. 而希腊几何学家的爱好 —— 圆锥截线居然会是太阳系永恒之舞的基本舞步与规范!

(三) 由 Kepler 行星运行律的数理分析所认知的万有引力定律所做的就是精益求精, 一直到至精以至简形式出现, 这样才能够有广阔的视野, 以简御繁, 近代科学的突飞猛进, 起始于此.

(四) 从 Newton 力学来看, 太阳吸引行星, 行星当然也吸引太阳. 由此可见, 太阳的位置并非真的固定不动. 真正固定者应该是太阳系的质量中心. 再者第五节定理 4 所得的 Kepler 逆问题的解乃是两个互相吸引的质量, 各自绕着它俩的质量中心运行的规律, 称之为二体问题的解答. 在天体力学中三体问题的解, 至今还是认知远远不够的数学问题. 总之, 我们对于生活于其中的太阳系的理解, 依然相去极远, 有待努力.

参 考 文 献

[1] 项武义. 基础几何学. 北京: 人民教育出版社, 2004.

[2] 项武义. 几何学在文明中所扮演的角色 —— 纪念陈省身先生的辉煌几何人生. 北京: 高等教育出版社, 2009.

[3] 项武义, 张海潮, 姚珩. 千古之谜与几何天文物理两千年 —— 纪念开普勒《新天文学》问世四百周年. 北京: 高等教育出版社, 2010.

[4] Chandrasekhar S. Newton's Principia for the Common Reader. New York: Oxford Univ. Press, 1997.

[5] Newton I. Principia: Mathematical Principles of Natural Philosophy. Cambridge: Cambridge Univ., 1934.

[6] Viète. 参看 Kline M. Mathematical Thought from Ancient to Modern Time. New York: Oxford Univ. Press, 1990.

郑重声明

高等教育出版社依法对本书享有专有出版权。任何未经许可的复制、销售行为均违反《中华人民共和国著作权法》，其行为人将承担相应的民事责任和行政责任；构成犯罪的，将被依法追究刑事责任。为了维护市场秩序，保护读者的合法权益，避免读者误用盗版书造成不良后果，我社将配合行政执法部门和司法机关对违法犯罪的单位和个人进行严厉打击。社会各界人士如发现上述侵权行为，希望及时举报，我社将奖励举报有功人员。

反盗版举报电话　　(010)58581999　58582371

反盗版举报邮箱　　dd@hep.com.cn

通信地址　北京市西城区德外大街4号

　　　　　高等教育出版社法律事务部

邮政编码　100120

读者意见反馈

为收集对教材的意见建议，进一步完善教材编写并做好服务工作，读者可将对本教材的意见建议通过如下渠道反馈至我社。

咨询电话　400-810-0598

反馈邮箱　hepsci@pub.hep.cn

通信地址　北京市朝阳区惠新东街4号富盛大厦1座

　　　　　高等教育出版社理科事业部

邮政编码　100029

数学文化小丛书 (第三辑)

弘扬数学文化
感受数学魅力

　　本丛书精选对人类文明发展起过重要作用、在深化人类对世界的认识或推动人类对世界的改造方面有某种里程碑意义的主题，深入浅出地介绍数学文化的丰富内涵、数学发展史中的一些重要篇章以及一些著名数学家的历史功绩和优秀品质等内容，适于包括中学生在内的读者阅读。

内容简介

　　将一个平面横截一个正圆锥，其所得之截线有椭圆、抛物线和双曲线三种可能。在古希腊几何学，业已善用圆与球的对称性研究它们的几何性质，硕果累累，其所得在 Apollonius 的八册圆锥截线论中集其大成。此事在 Kepler 研究太阳系的行星运动律中大放异彩：发现行星绕日运动的轨道竟然就是以太阳为其焦点之一的椭圆。再者，解析几何学和随后的射影几何学也都以圆锥截线的温故知新为启蒙家园，而圆锥截线的解析几何则是 Newton 对于 Kepler 行星运动律作数理分析后而发现万有引力定律的基础。

ISBN 978-7-04-038609-7

9 787040 386097 >

定价 5.00 元